Desg Lydan

Desg Lydan

Geraint Roberts

Cyhoeddiadau
barddas

Cydnabyddiaethau a diolchiadau

Carwn ddiolch i Alaw Mai Edwards a Chyhoeddiadau Barddas am ymgymryd
â chyhoeddi'r gyfrol hon, i Huw Meirion Edwards am ei waith golygyddol ac
i Rebecca Ingleby Davies am ei gwaith dylunio graenus. Diolch hefyd i Tudur
Dylan a Mererid Hopwood am y cefnogaeth a'r ysbrydoliaeth dros y blynyddoedd,
i Alan Llwyd am hau'r hedyn cychwynnol, i Karen Owen am ei chynghorion
wrth dalyrna ac i nifer o gyfeillion barddol dros gyfnod hir. Diolchaf hefyd i
fy ngwraig, Rhiannon, am ei hanogaeth a'i hamynedd. Cyflwynaf y gyfrol i'm
hwyrion a'r genhedlaeth nesa.

Cyhoeddwyd rhai o gerddi'r gyfrol hon yng nghylchgrawn *Barddas* yn ogystal
â'r cyhoeddiadau canlynol: *Cyfansoddiadau a Beirniadaethau Eisteddfod
Genedlaethol Cymru Caerdydd a'r Cylch 2008, Cyfansoddiadau a Beirniadaethau
Eisteddfod Genedlaethol Cymru Sir Fynwy a'r Cyffiniau 2016, Cyfansoddiadau a
Beirniadaethau Eisteddfod Genedlaethol Cymru Sir Conwy 2019*, cyfres *Pigion y
Talwrn, Beirdd Bro Eisteddfod Sir Gâr* a *Casgliad o Gerddi, dathlu chwarter canrif
Ysgol Farddol Caerfyrddin*.

Geraint Roberts

ⓗ Geraint Roberts / Cyhoeddiadau Barddas ©
Argraffiad cyntaf: 2020
ISBN 978-1-911584-34-6

Llun y clawr: darlun olew o Ysgol Rhydgaled gan Garrod Roberts a baentiwyd
yn 1969 pan gaewyd yr adeilad gan symud i ysgol newydd yn Llanfarian.

Cyhoeddwyd gyda chymorth ariannol Cyngor Llyfrau Cymru.
Cyhoeddwyd gan Gyhoeddiadau Barddas.
Dyluniwyd gan Rebecca Ingleby Davies.
Argraffwyd gan Y Lolfa, Tal-y-bont.

Cynnwys

Desg Lydan

Mae'i chlawr ar agor a daw'r tymhorau
o Fedi i Fedi trwy'r hen grafiadau,
a chri yr heniaith yn nhrwch yr haenau
yn un ddesg lydan o ddisgwyliadau,
ac aros mae ei geiriau – a'i chyffro
nes hawlia heno fy mhensil innau.

Ffiniau

dilyniant o gerddi plentyndod

Tyfu

O iard yr ysgol a thua'r dolydd
mae e am unwaith am ddringo'r mynydd,
a dilyn antur hyd lan y nentydd
at orwel unig tu hwnt i'r lonydd;
un bachgen a'i lawenydd – sy'n cerdded
i'r haf diniwed a'r profiad newydd.

*

Landsker

Un orig a'i anturiaeth
ar donnau anghrediniaeth
i'r tair oed sydd ar y traeth.

Estyn a wna yn ddistaw
liwiau'i ach yn llond dwy law,
rhoi'r iaith mewn bwced a rhaw.

Ac wrth ei gastell bellach
y mae byd y camau bach
a'r siarad yn brysurach.

Rhofio'i awr ymhlith tyrfâu,
a chynnal a wna'r waliau
ei genedl a'i deganau.

Er pob ton o estroniaith
ac er i'r haul ddod â'i graith,
gronynnau sy'n garn uniaith.

Mae balchder y baneri
rywsut ar dyrau'n rhesi
yn herio llais llanw'r lli.

Yn rhydd o'i ddaearyddiaeth,
un trai, un haf, troi a wnaeth
y dreigiau yn diriogaeth.

Ac i'r crwtyn ei hunan,
mae ei haf uwch tywod mân
yn y cof yn cyhwfan.

*

Gweld Siôn Corn

Mae'n un noson aflonydd
ac ystyr Rhagfyr yn rhydd;
yma'n driw, mewn un o dri,
eisoes rwy'n troi a throsi,
ac aros a wna'r noswyl
yn y ras at fory'r Ŵyl.

Sanau gwag sy' yn y gwyll
ar wely y tŷ tywyll,
ac ni ddaw pwyllo'r oriawr
ganol nos i gynnal nawr.
Oriau gwag yw'r drws ar gau
a iasoer yw'r cynfasau.

Trwy'r pared daw sŵn wedyn,
fy ofnau oll sydd fan hyn;
rwy'n nerfus esgus cysgu,
a daw ef drwy'r cyffro du
at y rhes a'r tair hosan;
troi am oes trwy'r oriau mân,
hastu a rhoi yn ddistaw,
rhoi cnau, rhoi llyfrau o'r llaw,
pêl griced, drwy lygedyn
o olau ar y gwelyau gwyn,
rhoi ei swllt i mi o'r sach,
orenau; rhoi cyfrinach.

*

Y Cwm

Un dydd, af eto o Lan-dŵr
ar ruthr, a chroesi'r hewl,
tu hwnt i'r tarmac a'r tai,
a ffoi dros y ffin
i dir neb, yn ddi-droi'n-ôl.

Ac ar y llwybr gerllaw,
af trwy ddôr y tymhorau
i encil y coed concyrs,
ac yna i hel clymau o gnau;
a rhedeg, ni'r brodyr,
i fiwsig y brigau
heibio'r hen glawdd ar fanc Bryn-glas.

Mae siglen yn troi tudalennau
ar gangen hen dderwen y ddôl;
ac yn barod maent wedi gosod ar y gwair
ddwy got heddiw eu gôl.
Mae cynefin yn troi'n Barc Ninian;
i'r acer werdd daw arwyr y cryts . . .
plant, pêl, antur!

Ar lan Amazon aflonydd
eu caerau sydd yn y cerrynt,
tri'n chwarae argae ar y rhyd
cyn syrthio'n chwithig ar y cerrig cam,
i'r dŵr gwyn, a'r drygioni
yn gawlach rhwng dwy geulan.

Llais Mam sydd i'w glywed wedyn,
a hi'n ddiorffwys ar bwys y bont,
â'i gofal yn yr alwad
i'r tŷ cyn amser te.

*

Mynwent Blaen-plwyf

er cof am Ernest

Mae lein y plant fu 'Mlaen-plwyf
yn oedi'n yr hyn ydwyf;
bachgen dan gleien yn glwyf.

Rhes o ddisgyblion llonydd,
a galar Fferm Soar sydd
yn rhy ifanc i grefydd.

Mae pennawd y degawdau
yn dod o hyd i dristáu,
naw oed yw'r holl funudau.

Yn y düwch a'r diwedd
mae ei lôn a'i naw mlynedd
yn lein o boen ar lan bedd.

Daw cysgod dros y blodau
at arch ac mae gwawr torchau
a lliw eu haf yn pellhau.

Yn nudden y blynyddoedd
un Sadwrn o wers ydoedd,
a'i ddesg wag ein haddysg oedd.

Eilwaith af o'r cornelyn,
o'r fynwent a bedd plentyn,
af i yn hen o'r fan hyn.

*

Rolls Royce

Drwy'r hen drefn
a drws balch, yn ei drowsus byr,
camodd i'r car cwmwl arian,
drwy'r ddefod a'r smaldod o weld Miss Smith,
i ryfeddod y bathodyn;
iaith arall yw'r ddwy lythyren.

Suddodd yn llwm i'r croeso iddo yn y lledr,
ac i liw yr arogleuon,
ei geiriau hi wrth y gyrrwr
a siarad ffwr y plas ar hyd y ffordd
draw i'r dre.

Â dau ddarn hanner coron yn y dwylo'n dynn,
yn ddeg oed, aeth yn rhwydd ei gam
i'w hala yn Woolworth.

*

Y Gêm

Un 'Howsat!' yn atsain sydd
draw o'r ardd gyda'r hwyrddydd;
Sain Helen sy'n y welydd.

Mae seiat rhwng bat a'r bêl
am yr haf yn ymrafel,
a dau ar lain yn dawel

yn rhedeg heibio'r gegin,
cael tro'n bowlio at y bin,
yn nes bob hanner dwsin.

Gynnau o lawnt ganol haf,
bu nerthol daro'r olaf
dros nos i ardd drws nesaf.

*

Eleven Plus

Oriau ddoe yn un ar ddeg
sy' imi heb resymeg.
Mae hap mewn darnau papur,
clorian a'i ganran yn gur,
ac enwau yn gwahanu
yno'n dwr mewn gwyn a du.

I'r fan hon mae'r darnio'n dod
at undydd o blentyndod,
yn y lle fe ddaeth pellhau
annisgwyl rhwng y desgiau,
bradychu ar y buarth
a dysg yn gymysg â gwarth.
A beiro'r awr ydyw brad
oesau mewn un asesiad,
hen lafn yn gadael ei ôl
a'r briwiau mor barhaol.
Wynebau a blotiau blêr
yw'r rhwygo fu mor eger;
oer yw'r hollt drwy wyliau'r haf,
oer ffiniau mis Gorffennaf.

Mae gwaddol y didoli
a rhan o'i fin arnaf i,
weithiau daw'r anesmwytho
o ddirgel cornel y co',
daw murmur hen bapurau,
ac yn fyw mae'r gwahanfâu
yn waliau hen seicoleg,
oriau ddoe yn un ar ddeg.

*

Iet y Plas

At yr iet daw eto'r un – i aros
    yn chwarae haf plentyn,
      â'i Awst drwy'r bwlch yn estyn.

Rhywle rhwng un lle a'r llall – mae rhaniad
    mor anodd ei ddeall,
      a dôr at ryw fyd arall.

Er y mur, er yr ymyrraeth, – a'i glawdd,
    mae'r glwyd yn gynhaliaeth
      a'i chadwyn yn warchodaeth.

Byw gwledig, bod â digon, – byd elw,
    a bodolaeth estron
      yw pob darn o'r harn yn hon.

Er y drain a chwa'r dwyreinwynt – weithiau
    ddaw i wthio drwyddynt,
      barrau du o barhad ŷnt.

Trwy'r allt daeth crwt yn alltud – o'r tu fas
    i'r iet fawr am ennyd,
      at haf cyfalaf o fyd.

Yn y cloeon mae e'n clywed – hoelion
    ei dylwyth yn cerdded,
      galw mae Ffosrhydgaled.

Yna trwy'r adwy wedyn – hwn a wêl
   yn heulwen y llecyn,
  hen arfer ydyw terfyn.

      *

Tonic Sol-ffa

'Dere miwn i'r *doh-ray-me*'
yw'r un hafn rwy'n ei hofni,
wrth ddilyn llaw athrawes,
dilyn llaw'r alaw mewn rhes.

Ataf o'r *modulator*
ar lwyd oer y wal daw her,
diystyr yw iaith *Curwen*
bore oes ar ddarn o bren.

Dod â gwae wna'r du a gwyn
heb un hyder, bob nodyn,
lle profaf ing y dringo
drwy Suliau du'r *soh-lah-doh*.

Carcharor i gerddoriaeth
yng nghanu'r ysgoldy'n gaeth,
a thrwm yw ffwrwm sol-ffa
hyd nos y nodyn isa'.

Ac ynof y mae'r gynnen
heno'n bod a'r gân yn ben,
â'i gân bêr, wyf hogyn bach,
a'i hafnau ynddo'n ddyfnach.

*

Llun

Yma'n gelf mae'r meini gwyn
ac achau a hen gychwyn;
af yno bob un funud
i'r lle sy'n gartre i gyd,
i'r wal wen sydd gerllaw'r lôn
a'r waliau fu'n orwelion.

Y mae gwyn y bwthyn bach
a'i haenau heddiw'n wynnach,
a dwedyd ddoe, doed a ddêl,
yn curo ar bob cwarel,
gan glywed Cymraeg wedyn
am mai'r iaith yw'r muriau hyn.

Os un clo sy' yn culhau
mae neuadd dan simneiau,
a solas cynfas y co'
yw'r rhieni geir yno;
fy Nhad a Mam yw'r fframyn
a'r holl liw sydd yn creu'r llun.

*

Wal yr Hen Ysgol

Dod eilwaith a wna'r dwylo – ar y wal,
   ac ar iaith i deimlo'r
  stori lle bu saernïo
  enwau cudd ar faen y co'.

Er mai gweld haf mewn crafiad – a wna hwn
   ar haenau'r dechreuad,
  oerfel ffarwél a pharhad
  yw ei heddiw bob naddiad.

Glas y Dorlan

ger pont Llangyndeyrn

Yno fe'i gwelais unwaith; – am ennyd,
    y man lle bûm ganwaith,
   yn amau am oriau maith
   a welwn ei liw eilwaith.

Bwrdd Du

Haenau addysg blynyddoedd – arno sydd
    a'r hen sialc yn werthoedd,
   bob bore'n rhoi cyfleoedd
   a bwrdd du ein breuddwyd oedd.

Beth yw Bardd?

Un a wêl y manylyn, – un am weld
    yn y mynd diderfyn,
   un ydyw'n aros wedyn
   nes ei weld â'i lais ei hun.

Tir Na N'og

Af yn ôl fy hun o hyd
i'r afonig a'r funud,
i'r heulwen drwy'r canghennau
a gwên oes dyrnaid o gnau.
Gwelaf rhwng y ddwy geulan
gamau iau ar gerrig mân,
a brodyr o baradwys
ar y rhyd â'u byd ar bwys;
eu hafau sy'n byllau bach
a'u hencil yn ifancach.
Ynof mae'r crwt yn cronni
a dŵr nant fy Sadwrn i.

Cyngor

er cof am Alun R. Edwards, llyfrgellydd ac athro ysgol Sul

Trin dameg a'r arddegau
oedd y wers fu'n llwyddo i hau,
arian byw bob awr yn bod
a'r ifanc wrthi'n trafod,
heb gell y llyfyrgellydd
na waliau'n ffiniau i ffydd.

Ac i lanc o'r ysgol hon
ei eiriau fu'n gynghorion,
trwy'r pethe'n creu cyfleoedd,
heuwr iaith trwy lyfrau oedd,
a hadau ei ddyddiau ddaeth
i hogyn yn anogaeth.

Cadwraeth

Heddiw mae hwn yn diodde
yn y llwch wrth wagio'r lle,
rhoi yn saff yr hanes hir
a geriach rhai a gerir,
clirio'r cartref yn ddefod,
rhoi i'r bocs y byw a'r bod.

Mae dyddiau dau wedi'u hel
i undydd yn un bwndel;
agor a llenwi bagiau
yn y cof ac yna'u cau;
a'r un lle'n ddarnau llinyn
yn dal ei yfory'n dynn.

Alaw

Uwch fy mhen, yn chwifio maent,
rhythmau gwyddau sy'n y gwynt
wrth erlid dros Gefn Sidan
yn donnau adenydd.

Un haid yn gymen dan haenen o gwmwl,
â'u cynefin mewn dwy linell
a llwyd eu silwét sydd unwaith eto'n
driongl drwy'r awyr
yn cydsymud drwy'r machlud dros y môr.

Ac ar y blaen i gôr o blu
daw un o'r adar i arwain,
yn ei dro, oherwydd dyna'r drefn;
mae'n tywys o'r rhimyn tywod
ar barêd uwchben dŵr aber yr hwyr
yn un tîm, gan droi i mewn at y tir,
ar ras ymarfer dros y morfa
cyn anelu at aelwyd eu clwydo
ac adre'n un sgwadron.

Daw gwaedd o'r haid gwyddau,
fel hwter o bellter y bae,
ceir un arall, a sŵn corn oerach;
mae rhyw siarad fel petae rhwng yr adar
a'r waedd yn troi'n gyfarwyddyd.

Mae'r ŵydd olaf yn arafu,
ac ar wahân, ar gwr ei rhes;
un rhy wan i fod ar ruthr,
ac yna mae'n gwahanu
a gadael brwdfrydedd y gweddill.
Daw hi â gwae i'r plu du a gwyn.

Ond daw un yn ôl at hon
a'i chymell at ei llinell hi;
ei greddf yw cefnogi'r rhes
a rhoi help llaw dan adain yr awel
a'i hebrwng ar gerrynt yr wybren
at awelon y tylwyth.

Â'u dwy linell yn dal yno,
eu hedfan sy'n gytgan i gyd
a'u halaw'n un ar derfyn dydd.

Pont

Dros ddŵr llydan mae'n cyfannu – dwy wlad
   a dau lais wrth yrru,
  ond o hyd ar darmac du
  hanes sy'n ein gwahanu.

Graffiti

*'mae Pedr yma' wedi ei gerfio mewn Groeg ar fedd Pedr
yn Rhufain*

Troi allwedd y graig feddal – oedd naddu
   hen waddol yn ddyfal,
  â'u cŷn a'r geiriau'n cynnal
  teulu'r Un tu ôl i'r wal.

Ysgubor

Mudiad y Ffermwyr Ifanc, Sir Gaerfyrddin

Drwy iet hon daw cnydau'r tir, – mae ei wal
   yn dal maeth y gweundir,
  stôr i waddol y doldir
  a tho sinc dros iaith y sir.

Mwyara

cyfrol Cyfansoddiadau'r Eisteddfod Genedlaethol

Wedi'r ras ac wedi'r hwyl,
arafaf wedi'r Brifwyl,
estyn llaw am Awst ein llên
a'i hel ar bob tudalen.

Estyn a wnaf i wastad
am ein hiaith, a chael mwynhad
o'r geiriau sydd mor gywrain
yno'n drwch ar lwyni drain.

Un ha' bach yw oriau'n bod
ag awen heb un gawod,
haul a ffrwyth o silff yr haf
a'r hen ias, tan tro nesaf.

Drws

er cof am Hywel

Rwy'n clywed y cliciedi
a ras y plant mewn rhesi
drwy ddrws y cof ynof i.

O'i agor daw gwên hogyn
i oedi'n y pren wedyn,
a'i ddeg oed yn ddu a gwyn.

Ac astell sydd â'i gystudd
â'r hen aeaf o'r newydd
yn dod drwy'r haenau bob dydd.

Mae dalen un bachgen bach
a'i enw arni'n llawnach;
fe a'i inc sy'n ifancach.

I'r ddôr a thrwyddi o hyd,
yn dawel mae'n dychwelyd
i'w fainc wag fan hyn cyhyd.

Cofio Colin

bu farw Colin Lewis, Typica, Bronwydd yn sydyn yn Awst 2015; roedd yn arddwr penigamp

Mae dolur yn blaguro
a hen glwyf drwy'r iet dan glo,
rhychau haf sy'n drwch o chwyn
â geriach ar y sgwaryn;
daear ei ddwylo diwyd,
Typica'i fagwrfa i gyd.

Daeth i'r brig â'i blanhigion
a rhoi oes i'r Gymru hon,
trown i'w weld eto'n trin had
â harddwch ei gyffyrddiad;
byw i'w ardd a'r iaith yn bod
ar hectar ei Gymreictod.

Anafwyd ein cynefin
un storom Awst oera'i min,
neuaddau tawel welwn
a sioe wag heb lysiau hwn;
draw o ardd ei bedair wal
ei Fronwydd sy'n fro anial.

Plentyndod

Heno ni ddaeth chwerthiniad – o'i wyneb
   drwy'r llenni yn cripiad
  oriau'r nos, na braw na nâd
  i'w wên slei; gwelais leuad.

Noswyl Nadolig

plentyn yn siarad

Pam yn ddeddfol daw oedolyn – i'n gŵyl
   â'i gelwydd bob blwyddyn,
  yn gudd tu ôl i farf gwyn?
  Nid wyf yn mynd i ofyn.

Hen Galan

Mae Calan y Cwm culach – yn ei gân
   yn gaer i'w fro bellach,
  â'r un bunt yn y dwrn bach
  yn galennig i'w linach.

Corlan

hen fugail

Heno fe wêl y mynydd – o'i wely
    trwy niwloedd yr hwyrddydd,
  a'r un heol o'r dolydd
  yw'r hiraf a'r serthaf sydd.

Llong

Mimosa

A ni heddiw'n diodde, – yn yr howld
    rhown yr iaith a'r pethe,
  a throi ei hwyl tua thre
  o'i Madryn 'nôl am adre.

Colled

A'r ddôr yn gilagored – un yn llai
    at ein llan sy'n cerdded,
  un â'r iaith fu'n rhan o'i gred,
  un yn llai o'r cyn lleied.

Pacio

canlyniad Cyfrifiad 2011 yn Sir Gaerfyrddin

Un rhif yw ein cyfrifiad
a'r sir hon ydyw'r sarhad,
holl sŵn ein llais yn lleihau
yw'r heniaith mewn canrannau.
Degawd ac ystadegyn
yn eu tro sy'n danto dyn;
er y taw, heb chwarae teg,
rhy fyddar yw rhifyddeg,
ac yn brin a gwag yw'n bro
a minws ydym heno.

Os düwch, os distewi,
awn eto i'w hawlio hi;
rhown y cof dan glawr un cês,
rhoi'n heniaith a rhoi'n hanes,
â hwn yn llawn darnau llên,
storïau a chystrawen.
Rhown gorden am acenion,
am yr hil a'r Gymru hon,
yn doreth rhown y pethe
yn un llwyth ac yn eu lle.
Hen focsed o dynged yw,
ein dwedyd, ein byd ydyw,
ac yn hwn mae'r hyn a'n gwnaeth,
yn dala ein bodolaeth.

Heddiw awn â'n hadduned
yn cario hon yn ein cred,
cario'r hen goffor ar goedd
a'i moelyd yng nghlyw'r miloedd;
ar Shir Gâr ei wasgaru,
mynd â iaith i'r mannau du.
Yn orlawn, yn llawn bwrlwm,
yna'i wacáu hyd y cwm,
pob geiryn yn becyn bach
acw yn gyfoethocach.
Bob undydd awn â'r bwndel,
yno'n dwr wedi ei hel,
a ias y dweud ddaw o'r stôr
a'r Gymraeg yma ar agor.
Yn y sir sy'n ei siarad
piau'r iaith yw ein parhad,
hi a'i sŵn ddaw fesul sill
a ninnau ar ein hennill.
Awn â'r blwch yn awr â bloedd –
yfory'n troi'n niferoedd.

Er Cof am Osi Rhys Osmond

bu farw ym Mawrth 2015

Y mae darlun bob munud
a'i lais yn f'oriel o hyd,
ac yna'n nes drwy'r rhesi
daw Mawrth y golled i mi.

Ond mewn llun mae'r arlunydd
ar ras yn y tonnau'n rhydd,
a glas ei gynfas i gyd
am aros yn y moryd.

Ac yn y tirwedd heddiw
daw ei wlad yn fyd o liw,
hwn yw llais y gŵr mewn llun
â darlith yn ei dirlun.

Clywn gynnen sŵn hofrenydd
a leiniau coch gelyn cudd,
a'r machlud o hyd ar dân
yn hunllef dros ei winllan.

Yn ei grefft fe glywn ei gri
ar y tonnau a'r twyni,
a daw'r haul drwy'r paent yn drwch
yn waedd i fynnu heddwch.

Poen y tad ydyw'r paent du,
y gwarchod a'r ymgyrchu,
y traethau a'u blotiau blêr
a'r hebog dros yr aber.

Mae daear, trais a chwarae
yn ei baent ar lan y bae,
efo'i frws bu'n carco'i fro,
â'i balet bu'n ymbilio.

Byw y trai a wnaeth bob tro
a'r llanw drwy'r lliw yno,
ac i mi drwy'r cerrig mân
Osi ydyw Cefn Sidan.

Ei oriel yw'r gorwelion
a'r dweud sydd ym merw'r don,
ni all lli ddistewi'i dân
na diffodd llais Llansteffan.

Etifeddiaeth

er cof am David Samuel Roberts, fy ewythr a fu farw yn Ffrainc
ar Fedi 4ydd, 1918

Beibl y Teulu

Mae un ganrif a'i brifo
o ddüwch a gweddïo,
yn inc oer mab yn y co'.

Yn y llyfr y mae un llanc
a'i hafau'n fythol ifanc,
wedi'r waedd ar awr ei dranc.

Ei ddolur ydyw'r ddalen,
a'r un llais rhwng cloriau'n llên
sy' gryfach mewn ysgrifen.

Mor agos y daw'r ffosydd,
ei ryfel gyda'i grefydd
ym mlotiau a dagrau'r dydd.

Mewn ffarwél ar glawr melyn
ei achau sydd yn cychwyn,
fy enw i fydd fan hyn.

*

Llun

Un hŷn yw'r mab hynaf,
a balch cael bod
yn ei lifrai cyn ei siwrnai i'r Somme;
â'i lygad ar adael
ei gred yn Nantgaredig,
a iaith y gweithie,
i ddechrau sifft newydd ymhell o'r Mynydd Mawr.

Yn y wên dawel ar ei wyneb,
gwelaf y cynaeafau
ar feysydd ffermydd cymdogion Penffordd
ac ar y fawnen yn Soar, Cilcennin.

Mae'n was i'r ffas a'r ffens,
wedi bod a byw
ar y trac hir trwy'r tir du a'r tir coch.

Ni fydd Margaret yn ei weld eto,
na Mary eu babi bach;
na William a fu'n wylo
am nad oedd ei dad wedi ei weld.

Hwn yw'r un,
yr ewythr na welais erioed;
ond yn llun llwyd y breuddwydion
rwy'n malio am yr un milwr
a'r preifat sy'n agos ataf.

Ac mae munud wedi ei gau mewn du a gwyn
a'r awydd wedi ei rewi,
am mai e yw David Samuel,
y fyddin yn fy etifeddiaeth.

*

Mynwent Vis-en-Artois, Ffrainc

Gwelaf ddaear ger Arras, – un cyfer
 yn cofio perthynas,
 a hwyrddydd gydag urddas
 o dan glo y gwelltyn glas.

Mae'n gornel i'r gorwelion – a mynwent
 dan y meini gwynion,
 y waliau hir wrth y lôn
 a milwyr i'r ymylon.

Yno bu'r cerfio cyhyd – llinellau
 o feddau'n gelfyddyd,
 brawddegau y muriau mud
 a bwa naw mil bywyd.

Mae oriel o baneli – ac allor
 i'r golled yn rhesi,
 eneidiau dirifedi
 a'i enw ef yno i ni.

*

Hen Bapurach

Y mae dadrithiad mewn dyddiadau
a'r chwalfa'n para'n y papurau,
un haf wedyn mae'r anafiadau'n
eu gwahanu yn sŵn y gynnau.

Mae hi yn wylo'n y manylion
a iaith oerach yn y llythyron,
a daw byseddu'r geiriau duon
i droi'r waddol yn ymadroddion.

Ac o Lunden y tudalennau
y mae'r ennyd yn troi'n femrynau,
ac os tawel yw'r holl fagnelau,
mae ei dolur yn y medalau.

*

Cofeb

Y mae aberth a pherthyn
yma ar gau mewn marmor gwyn,
er ei weld yn un mewn rhes,
ei enw yw fy hanes;
at yr un y trown bob tro
a diwrnod mewn du arno.

Wedi oes o fynd a dod,
awn heibio heb adnabod
ei wyneb na bro'i febyd
na phryder colier cyhyd.
Er y cam sy'n hŷn na'r cof
ei enw naddwyd ynof.

Y Pêr Ganiedydd

gerllaw ffermdy Pantycelyn

Mae ei lôn dri chan mlynedd
yma'n gân ar graig a'i hedd,
bore'r cwrdd yw'r llwybr cul
â'r emyn hyd yr ymyl;
daw bardd a'i gerdd i gerdded,
geiriau hwn sy'n un â'i gred.

Ef wedyn ydyw'r feidir
drwy'r niwl du a'r anial dir,
a'i fythol ysbrydoli
heddiw'n driw i'r ddau neu dri.
Ein hiaith yw'r caneuon hyn,
ein cwlwm Pantycelyn.

Newid

Capel Sant Paul, Aberystwyth sydd bellach yn dŷ tafarn

Yn y capel fe welwn
eiriau'r Iôr ar furiau hwn,
a salmau hen Suliau'n sêl
yn aros ar yr oriel.
Yno daw, trwy oriau'r dydd,
y criw ifanc a'u crefydd;
mae amen yr emynau
yn yr hwyr i ni'n parhau
fel un yn canu'n y côr,
yn nhywyllwch hen allor.
Ei ddoe Ef heno ni ddaeth,
a'r gwin ydyw'r gwahaniaeth.

Niwl

Un Rhagfyr daeth consuriwr – â'i law wen
    ar lan afon Pibwr
  yn rhoi'i ddwst oer mor ddi-stŵr
  a'i len gain dros Langynnwr.

Wyneb

*Tutankhamun yn siarad; wrth weld ei fwgwd mewn amgueddfa
yng Nghairo*

Yn heddiw'r aflonyddu – yn y rhith,
    yr aur a'r rhyfeddu,
  un oes hir dragwyddol sy'
  yn fy aros yfory.

Cyfrinair

Wyf ddieithryn bob munud – a'r enw'n
    gyfrinach fy mywyd;
  gair a rhif yw gŵr o hyd,
  gair a rhif yw'r gwir hefyd.

Deilen Olaf

Ar y lôn hir eleni,
mae deilen, un hen yw hi,
yn gragen o wythiennau
ac ynddi y cochni'n cau;
ei bioleg mor fregus,
yn frau, ond eto ar frys
trwy Ragfyr yr awyr rydd
a'i darmac a'r holl stormydd;
a daw rhyw wynt yn ei dro
yn gadarn i'w hergydio,
oedi, ac yna'n sydyn,
troi a wna, troi arni'i hun,
a lliw hon yn bell o'i haf –
olion y ddeilen olaf.

Syched

*Tafarn y Carw a'r Ffesant, Pontarsais: cartref cyntaf Ysgol Farddol
Caerfyrddin yn 1992*

Er nad yw'r Stag ar agor,
heddiw es yn ôl drwy'r ddôr
i'r awr a'i hodlau a red
o wydr hael Tudur Aled;
a chlywaf leisiau'r stafell
a'r syched am gwpled gwell.

Daw sawl gaeaf ataf i
a'u halaw o'r costreli,
o'r stolion daw barddoniaeth
yn un côr a'i ganu caeth,
a phob cân yn cyfannu'r
ford a'i hinc â'r Llyfyr Du.

Ar lôn beirdd mae'r waliau'n bod
yn dafarn â'i cherdd dafod,
chwarter canrif o brifio
efo'r iaith a'r gerdd drwy'r fro,
a wal wen ein hawen yw,
traddodiad drwyddi ydyw.

Mewn Amgueddfa

Hen ddarn hyll o dderwen yw hwn
a welaf yn Abergwili,
gyda'i dyllau a'i glymau dan glo
a'i hanes yn hŷn na'r haenau.

Y coedyn mewn casyn yn y cof,
cragen o gangen, dyna i gyd,
oedd yn y dref yn gwarchod ein hanfod ni.

Bu'r warden ger yr hen briordy
yn ein gwylio, ac yn diogelu
harddwch tref Myrddin
rhag Tywi a'i lli dros y lle.

Ond o'r stryd fe'i symudwyd,
y bonyn y bu dibynnu
arno ar y gornel.
Er heddiw mor eiddil,
craciau'r graen sydd dan wydr yn carco'r gred
ac yn melynu ers deugain mlynedd.

Ac fe gafwyd llif y canrifoedd,
a dŵr uniaith yr estroniaid
yn eger drwy'r wythdegau,
nes i'w stŵr erydu'r Gymraeg ar y strydoedd;
a'u hacenion yn donnau
yn torri ar lannau ein difaterwch.

O dŷ i dŷ aeth y don
nes troi afon o'r maestrefi
a diflaniad iaith ein siarad o'r pafin a'r siop,
gan adael yr ychydig yno wedyn
a'u bodolaeth yn bwdeli.

A chlywaf drafod
draw am dranc;
y rhai sydd â'u rheg
yn wfftian mewn canrannau,
a rhoi i'r iaith fedd fan hyn mewn amgueddfa.

Ac fe awn â'r fesen a'i phlannu eleni,
a'i hegin fydd yn anogaeth
i ennill iaith lle bu lleihad,
a rhoi'r heniaith 'nôl ar Stryd y Brenin
a llefaru llif arall
yn dod ar ruthr ar hyd palmentydd y dref.

Aros a Gadael

Lois yn dechrau yn yr ysgol

Ei thei goch sy'n iaith i gyd – a hi'r wên
    ar ruthr bob munud;
  bywyd.

'Ta ta, Mam!' Drwy'r iet mi aeth – yn dair oed
    yn driw i'w chenhedlaeth;
  olyniaeth.

Pentref

daeargryn 2016, hanner can mlynedd wedi trychineb Aber-fan

I'r düwch, gŵr mor dawel,
un stryd o ddinistr a wêl
a'r aberth dan y rwbel.

Mae'n gweld gwacter a blerwch,
twrio o raid yn y trwch
a'r tyllu i'r tywyllwch,

y cydio mewn bwcedi,
â'r bysedd drwy'r modfeddi
at y rhai yn stafell tri.

Angau sy'n y muriau mud
yn y llun bob un funud,
a beiau lle bu bywyd.

Dydd Gwener ei bryderon
a glyw yn yr ysgol hon,
a'r gri olaf mor greulon.

Hanner canrif sy'n brifo,
un Hydre' hir ddaw'n ei dro
a'i naw oed i'w boenydio.

Gwisg

llun Ysgol y Strade

Mae logo'r siwmper ar bob cymeriad
a'r llu'n anadlu lliwiau'r sefydliad;
un mewn deall ac un mewn dyhead
yn uno'n deulu o flaen adeilad,
a'r heniaith yn rhoi uniad – i straeon
y rhesi hirion yn ferw eu siarad.

A chamera praff yr un ffotograffydd
a wêl un eiliad o flaen y welydd,
y wên ddiniwed a'r flwyddyn newydd
a'r syllu union mewn crysau llonydd,
â'u doniau ar adenydd – yn nesáu
a geiriau gynnau'r Gymraeg ar gynnydd.

Mae pob dechreuad wedi ei gadw
i lonni eilwaith a'i liw yn welw,
wynebau cymen y rhai dienw
mewn fframyn a llun o'r Ebrill hwnnw,
yno'n aros yn nhwrw'r – mileniwm
a thei yn gwlwm a'r iaith yn galw.

Mae arfbais a balchder y niferoedd
yn aflonyddu yr holl flynyddoedd,
a daw y darian ar wisg y cannoedd
i droi yr angerdd yn frwydr i'r rhengoedd,
a'u camau tua'r cymoedd – ac i'r dre
yn rhoi Y Strade 'nôl ar y strydoedd.

Capel

Yn deyrngar aeth hi'n araf – draw i gloi
    wedi'r glep dawelaf,
  troi'r allwedd ar ddiwedd haf,
  troi eilwaith, y tro olaf.

Stori

bu'n arferiad i wneud toriad bach ar grud pren i nodi
marwolaeth plentyn

Hen grafiad ac ysgrifen – yn y graen
    ydyw'r graith i'w darllen,
  a sisial y dudalen
  yw'r un briw ar ddarn o bren.

Y Brawd Mawr

Ei gyfaill ydyw'n gyfan – a llawen
    wrth roi llaw i'r bychan;
  a ddaw'r un mawr yn y man
  â'i ofalu yn fwlian?

I Gyfarch y Parch. Meirion Sewell

*bu'n saer maen cyn cyflawni hanner can mlynedd
yn y weinidogaeth*

Galwad i adeiladu
gafodd saer, bu'n daer i'w Dŷ,
rhoi'i oes i waith yr Iesu.

Un â'i gŷn am hir ar goedd
drwy'i fywyd i'w dyrfaoedd,
yn naddu trwy'r blynyddoedd.

Ei Feibl yw ei sail i fyw,
ei drywel a'i lefel yw;
cwyd ei wal i garco Duw.

Ym Mhen-y-graig min ei gred
yn ei law sydd i'w glywed,
a'r Gair o'r Llyfr agored.

Ac yn dawel fe welwn
ei fesur a'i ddefosiwn,
a'i chwys e'n yr achos hwn.

Meirion yw'r grefft aflonydd,
yn alaw rhwng y welydd
a chân ddiffwdan y ffydd.

Mae amynedd ei weddi,
y bregeth lle bu'r hogi
y fan hyn yn gefn i ni.

Hwn yw'r pader trwy'r blerwch,
ein llais yn yr haenau llwch
a'i forthwyl yn brydferthwch.

Ei weled a wnawn wedyn
yn cymell i'r bwrdd cymun,
yn troi o hyd at yr Un.

Am aros y mae'r muriau,
y meini a'r emynau,
hwn a'i ddweud i'r un neu ddau.

Ynom mae ei gymwynas,
rhoi a wnaeth, rhoi'i hun yn was,
rhoi'r darnau i greu'r Deyrnas.

Llyfr

Llyfr Gwyn Caerfyrddin

Wedi cyfrif y brifo
at yr inc trown yn ein tro,
dweud o raid rhwng cloriau'n drwch
nes ei weiddi dros heddwch;
cymod a'r pen sy'n cymell,
rhoi'r gair i'r yfory gwell.

Drwy ein llw mae darnau llên
yn alaw bob tudalen,
enwau o greu ag un gred,
enwau gydag adduned;
awduron ag un stori
heddiw'n arf o'n heiddo ni.

Llais

wrt ymweld â Sgwâr Tiananmen a chofio cyflafan 1989

Mae un haf ar y pafin
a naws bloedd hen ormes blin,
a'i waed oer dan dorf y dydd
yn golofn a'i gywilydd.

Yn y gri mae geiriau hedd
yn aros trwy'r anwiredd,
a'i waedd at y llun byddar
a rhes goch baneri'r sgwâr.

Heddiw fe ddaw'r dioddef
ar y llain yn ôl trwy'r llef,
lle bu atal bataliwn
a her tanc ar goncrit hwn.

Ffoi

Y Garn Goch, Bethlehem

Ynof o hyd mae'r mynydd
a byw ei dir wnaf bob dydd;
anelaf at awelon
a'r awyr las ben draw'r lôn
am mai'r hewl yw fy mharhad,
hewl unig fy niflaniad.

Gam wrth gam fe ddof i'r Garn
a'i suon o'r Oes Haearn,
ar hyd llwybrau creigiau cred
a'i gaerau'n dir agored,
heibio'r wal a gweld o'r brig
hen lwythau Neolithig.

Bu'n rym ei banorama
oriau hir gaeaf a'r ha',
a chleddyf milwyr Rhufain
fu'n sathru'n llu dros y llain,
a blin daeth byddin a'i bloedd
i anafu'r canrifoedd.

Ac i'r hwyr fe glywaf gri
o ganol y clogwyni,
'Gwynfor! Gwynfor!' yn y gwynt
yn donnau cân amdanynt,
ac o'r drain daw sgwâr y dre
a hwyl y dorf o rywle.

Daw i gerdded drwy'r rhedyn
a throi ar y llethrau hyn,
aros mae. Daw'r ias i mi'n
fynych o'r tywodfeini,
ynof i ei enw fydd
am mai'i enw yw'r mynydd.

Cymundeb

Mae yno'n fisol yn gwirfoddoli
ei bâr o ddwylo i barhau'r addoli,
a throi i rannu fel gwnaeth ei rieni;
ac yn y gwin mae'r groes yn goroesi
a daw'r Un i'r ddau neu dri'n – gynhaliaeth,
mae 'na wasanaeth mewn oes o weini.

Cymwynas

Ar yr ymyl â'i rwymyn – am yr arch
    mae'n ymroi ac estyn,
  anwylo wna'r dwylo'n dynn
  a'i adael yn rhydd wedyn.

Yr Wythnos Fawr

Trof allwedd at ryfeddod – un ogof
    a'i hagor mewn adnod,
  a beunydd cael trwy'r bennod
  faen a bedd ynof yn bod.

Anthem

Daw cresendo'r cantorion – ac agor
    y bedd gwag i'r Cristion,
  a'r alaw'n rhyddhau'r hoelion
  i'r Trydydd Dydd gyda'r dôn.

Cymuned

waliau heddwch Belfast

Bywyd â wal yw bodolaeth, – weiren
    a dur eu magwraeth,
  a dwy hewl yw brawdoliaeth – yn trwyadl
  uno'r un anadl â'r hen wahaniaeth.

Ond trwy'r glwyd mae breuddwydion – yn agos
    a gwag yw'r amheuon;
  gweld cymod drwy'r cysgodion – wneir mwyach
  i stryd oleuach heb stôr dadleuon.

A gorwel dros y welydd – yw'r ifanc
    heb ryfel â'i gilydd,
  antur yw eu palmentydd – yn ddyddiol,
  dwy gân, un heol, cymdogion newydd.

Croeso

wrth ymweld ag Amgueddfa Genedlaethol Chernobyl
yr Wcráin yn Kyiv

Mae un gair yma'n gwahodd;
cymylau'r hafau rhywfodd
a gwenwyn oes yn gwanhau
yn y staen a'r cwestiynau.

Ar banel mae tawelwch
Ebrill a'i weddill yn llwch,
ac oedi mae degawdau
pob plentyn mewn casyn cau.

Ymhob llun a phob munud
cenhedlaeth sy'n gaeth i gyd,
a daw'r dihoeni yn don
wynebau, heb atebion.

Cribau

Mae un ar lethrau'r mynydd
dan gysgodion aflonydd,
piau'r hawl ar gopa rhydd.

Ar ffo i'r hwyr a'i pharhad
i'r pellter a'i hadferiad,
i'w Lliwedd dan y lleuad.

Daeareg a phryderon
a niwl hyll yw camau'r lôn,
a rhyfel gwyntoedd cryfion.

Amheuon a ddaw mwyach
heibio'r bwlch i'r bore bach
a'i hafnau ynddi'n ddyfnach.

Llithrodd o'r grib i'r dibyn
i grafangau'r haenau hyn,
rhigolau oera'r gelyn.

Dianc o'r mannau duon
ddaeth eto i herio hon,
ac awr olaf mor greulon.

Diolch, Gerallt

Hwn yw eilun tafoli, – hwn yw'r llais,
    hwn yw'r llun mewn cerddi,
  hwn yw iaith ein cenedl ni,
  y Meuryn a Chilmeri.

Cofio Emyr Oernant

Ni ddaw awen o'r ddaear – na'r talwrn
    a'r teulu cyfeillgar,
  na sŵn cwyn y rhacsyn car
  na drudwy'r lôn i drydar.

Cyfaill

Arhosodd yn fy rhesi – a'i enw
    er i'w ffôn ddistewi,
  ni allwn weld ei golli
  na'i ddileu o'm meddwl i.

Y Daith

i gyfarch Aled Evans adeg cyhoeddi ei gyfrol Saith Cam Iolo

Af yno ar fy union
ar hewl hir y gyfrol hon,
un sydd ag iaith yn nesáu
hyd lôn ei thudalennau,
lle mae rhif ac ysgrifen
a'r holl hud ar lwybrau llên.

Galw a wna'r dirgelwch
o dan draed o hyd yn drwch,
at hen ffin yn ddiflino,
at yr hil sydd ar bob tro,
yma gwlad yn siarad sydd
yn nwylo y nofelydd.

Ar dyrpeg y brawddegau
mae antur a dolur dau,
a'r canu yn cyrchu'r co'
ar dylwyth a stryd Iolo,
yn chwedl y ddinas a'i chur
mae hafau Owain Myfyr.

Ar agor y mae'r stori,
dalen yw o'n cenedl ni;
bob troedfedd ar lechwedd lôn
ar yr hewl at orwelion,
at yr haul, yn mynd rhywle,
a thrac nad â tua thre.

Ar y daith yr ydw i,
siwrnai â'r oesau arni,
gam wrth gam daw geiriau'r gân
yn wlad ar hyd ffordd lydan,
y feidir i'r dyfodol,
arni wyf yn ddi-droi'n-ôl.

I Gyfarch Aneirin Karadog

wedi iddo ennill Cadair Eisteddfod Genedlaethol Sir Fynwy a'r Cyffiniau 2016

E-bost Gartre gan y Mab

Hei Dad, llongyfarchiadau,
dy awdl amdanom ni'n dau!
Wrth glywed sŵn bwledi
geiriau'r Ŵyl a ddaw'n un gri,
a'r geiriau drwy'r odlau'n drwch
heddiw yn mynnu heddwch.
Yn y print mae ein parhad,
yn y geiriau dy gariad.

Un hogyn wyf â'i neges,
dod a wnaf at Dad yn nes,
dweud ffarwél i ryfela
a dod i weld dyddiau da.
Dere nawr, af adre 'nôl
i Fedi a'r dyfodol;
y teulu nid bataliwn
fydd o hyd fy myd, mi wn.

Yna trown o dir Catraeth,
y tir a'i filitariaeth,
fory af drwy'r weiren frad,
weiren fy nghamgymeriad;

y wawr rwy'n gweld drwy'r weiren
yn y llais, y gerdd a'r llên.
Af o ladd, y boen a'r floedd,
un yn llai sy'n y lluoedd.

Af o'r brad mor anwadal
i fro lle mae'r dwylo'n dal,
a mab llesg sydd am bellhau
o reng yr adar angau
yn y sêr dros blant Syria
a'u byw'n y nos heb un ha'.
Heno, yn wir ni fynnwn,
sŵn y gwarth sy' yn y gwn.

Dere ar ras at lasoed,
cadair hardd sy'n cadw'r oed,
'nôl o wlad a'i hawel lem,
baracs i Bontyberem;
ac o dir llygad a dant
i ddaear a'i maddeuant,
o ddweud un mewn cywydd daeth
aileni o'r elyniaeth.

Gyrra'r car i Drem y Cwm
ar ras o'r gaer wrth reswm,
i fro rydd mewn lifrai iaith
o fomiau ac at famiaith,
ac yn ôl o'r magnelau
uno'n dweud a wnawn ni'n dau,
o'r crastir a'r anwiredd,
o roi clwyf, i weinio'r cledd.

Priodas Steffan ac Elen

Mai 29ain, 2009

Heddiw fe ddaeth y ddeuddyn
gam wrth gam i'r capel gwyn,
ac at ddidwylledd gweddi
eu dau fyd; daw ef a hi
a wynebau deheubarth
at undod Gwaelod y Garth.

A Mai'r holl eiriau mwyach
yw byw oes yr un gair bach,
a'r un 'gwnaf' fydd haf o hyd
a hafau i'r ddau hefyd.
Er un sill, yr uno sydd
â'r gwead yn dragywydd;
y ddau enw'n adduned
yw'r un gair hwn yn y gred.

Mae'r eiliad wedi ei chadw,
law yn llaw yn cydio'r llw,
ac Elen, mewn un ennyd,
a Steffan sy'n gân i gyd;
yn rhamant nodau'r emyn
y ddau yn awr fydd yn un.

Priodas Llŷr a Rhian

Ebrill 6ed, 2013

Ym Mhen-y-graig mae hen gred,
y ddwy wên ac adduned;
dwy galon wedi'u galw,
law yn llaw maent yn eu llw,
un deall wrth yr allor
a hwy cyhyd yn un côr.

Rhian a Llŷr yn un llais,
un alaw lle bu deulais;
un gân o hyd yw eu 'gwnaf'
yn uwch na'r nodyn uchaf,
ac wedyn o'r un funud
y gair bach sy'n agor byd.

Ac mewn dwy fodrwy fe fydd
un awen y ddau newydd,
oedi wna'r melodïau
yno'n hir a'r llawenhau,
a dau yn llawn dyhead
eu opera hwy yw'r parhad.

Trwy seiniau'r rhythmau fe red
eu harddwch a'r cydgerdded,
a lliw Ebrill eu llwybrau
sy'n rhoi'r ddawns yn aria'r ddau.
Yn nhôn alawon y wledd
y ddeuawd fydd ddiddiwedd.

I Gyfarch Lois Martha

ganed Mai 2il, 2012

Ym mhob cymal a'r dala, – yr enw
    a'r wyneb, meddylia
  yn oriau'r wên ddechrau'r ha'
  am y wyrth o Lois Martha.

I Gyfarch Math Lewys

ganed Mehefin 4ydd, 2014

Hogyn o'r Mabinogi – sy'n ei wên
    a swyn iaith hen stori,
  ac mae ei fysedd heddi'n
  rhoi'r hud 'nôl i'n siarad ni.

I Gyfarch Leisa Gwen

ganed Awst 31ain, 2014

Un gyda'i nodyn yw hi – a'i halaw
    ar aelwyd yn llenwi,
  ac yn y wên eleni
  croten Awst yw côr tŷ ni.

I Gyfarch Celt Meredydd

ganed Mawrth 10fed, 2017

Eleni daeth olynydd – i hen hil
    yn wên ar foreddydd,
  un oes aur mewn enw sydd
  ond i ni mae'n frawd newydd.

I Gyfarch Morys Llywelyn

ganed Mai 10fed, 2018

Wyt fachgen bach ein hachau, – wyt y gêm,
    wyt y gân a'r geiriau,
  yna wyt y brawd sy'n iau,
  wyt Morys ein tymhorau.

Bae

Bae Caerdydd, Awst 2018

Llun o'r cei yw llanw'r cof
a'r un sy'n angor ynof;
hen donnau heb un dunnell
na'r un bad ar siwrnai bell.
Gwelaf y trai ar bafin
a briw hallt y shifftiau'n brin,
erydu a wna'r strydoedd
a Stryd Bute ystrydeb oedd.

Ond i fae daeth adfywiad,
i'r awr ddu fe ddaeth rhyddhad,
drwy sigl hir daeth drws a'i glo
yn Senedd â'n llais yno;
a daw'r bît o ben draw'r bar
yn uwch drwy'r golau llachar
ac mae'r gân gan Gymro'r gìg
yn curo'r muriau cerrig.

Mae awen rhwng y llenni
ar lwyfan llydan y lli,
clywn heniaith lle bu ieithoedd,
a haf â'i liw bob un floedd;
harn a glo heddiw'r corn gwlad
yn rhuo'r ailddechreuad,
a thrwy'r alaw y daw dydd
hen awel a'r wawr newydd.

Cyrion

Yn araf daw'r actores
heno'n wên drwy'r dorf yn nes,
i gerdded y carped cul
â'i drama hyd yr ymyl.

Ond tu ôl y mae'r sgript hyll
a'r taeog oriau tywyll,
yn ufudd i gynefin
hen sgweier hael sêr y sgrin.

Sarhad yw'r goleuadau,
mur i hon yw'r camerâu,
â'i cholur celu'r celwydd
byw ei dwyll a wna bob dydd.

Cuddio

ymweld â mynwent yn Ffrainc adeg canmlwyddiant colli
D. S. Roberts, fy ewythr, ar Fedi 4ydd, 2018

Wal unig yw can mlynedd
a gwag fu heb garreg fedd,
yn awel hen gynhaea'
erwau taer Vis-en-Artois.

Celu a wna gwên colier,
ei fyd gwell a'r trafod gêr;
un heb weld ei blantos bach
na'i ugeiniau amgenach.

Heibio'r wal a'r naddu brau,
rhosynnod a'r rhes enwau,
rwy'n clywed y bwledi
heddiw'n uwch o'n rhengoedd ni.

Trwy'r panel sŵn magnelau
ein hoes hyll sydd yn nesáu,
ac i lais heb wain i'w gledd
oerach ydyw'r anwiredd.

Clywn rethreg o bob pegwn
yn un floedd mewn lle fel hwn
a gynnau angau yn hel
yr ifanc draw i ryfel.

Yng ngwacter y pileri
a thrwy waedd fy ewythr i,
didostur yw'r cur cyhyd,
y bai a'r gwastraff bywyd.

Ac mewn canrif a'i rhifau
cofio wnaf nid cyfiawnhau.

Ffair Rhos

cofio Elerydd, yr Archdderwydd

Ataf daw 'Tôn y Botel',
swn ei Ŵyl ynof sy'n hel;
hewl y wên a'r awel lem
a Suliau ei Gaersalem,
ac ar ras i'r Fagwyr Wen
a'i hen waliau'n dudalen.

Â'i ddeall o'r un ddaear
daw â'i sgwrs i fyd y sgwâr,
un â'i lais bob cam o'r lôn
a geiriau Tir y Goron;
a thrwy'r amser Elerydd
yw'r côr iaith yng ngweithdy'r crydd.

Llaethdy

*y Dairies Club; bu'n gartref i Ysgol Farddol Caerfyrddin
am gyfnod*

Ar waith trwy ei ddrws yr af – i gorddi'r
     gerdd a etifeddaf,
  a thrwy'n hiaith yr hyn a wnaf
  yw troi buddai tra byddaf.

Damwain Car

Hen dir wast â drain drosto – ydyw hwn;
     ond un sy'n dod eto
  i hel y cornel i'r co',
  lôn a wal, teulu'n wylo.

Aderyn

Arhosaf wrth weld rhesi'r – miliynau,
     can mlynedd o golli,
  a chael yn Nhachwedd weddi'r
  golomen wen ynom ni.

Fflamau

gwasanaeth coffa 'blitz' 1941 yn Abertawe

Cynnau'n hyll wna'r canhwyllau.
Hi wêl gam yn y fflamau
a hen dân gwahanu dau.

Diwrnod arall yw'r allor.
Ddoe i hon a ddaw i'r ddôr
a chyfri saith deg Chwefror.

Ac aros mae'r tair noson.
Loes hir yw'r eglwys i hon,
gaeafau a'i hatgofion.

Uwchben, daw'r awyrennau
am un cwm heno yn cau,
a'u hadenydd undonog
yn y grŵn fan draw yn grog.
Bom ar ôl bom dros y bae
yn moelyd trwy'r cymylau.

Un gaeaf a'i gyflafan
yw rhu'r mynd trwy'r oriau mân,
a'r marwydos dros y dre'n
tywallt ar Abertawe;
a daw difrod i hofran
ac angau'n dalpiau o dân.

Hed uffern y Luftwaffe
yn ei dro 'nôl dros y dre,
a chilio i ddychwelyd
a wna'i sŵn drwy'r nos o hyd;
ac yng nghyrchu'r llu'n pellhau
tair noson sy'n troi'n oesau.

Mam sy'n ymhél
heibio'r rwbel,
sled a thedi
ei mab. Mae hi
yn hel eiliad
y brics a'r brad.

Mae'r fflamau'n dew, Stryd Caer sydd yn rhewi,
a haen plu eira dros harn pileri,
Stryd Rhydychen sydd yn rhes dalcenni
mewn un funud yn domen o feini;
dwy heol yn distewi, – yn difa,
a muriau ola'r sgwâr yn meirioli.

Nosweithiau a'u gwae yn nüwch gaea'
a bro ar drothwy ei brwydro eitha',
crater a'i fom yw'r cartrefi yma
a'r tai fel ffwrnes; daw'r ffrwydriad nesa'
yn eirias trwy drwch eira – a'r lludw
â seiren i alw'r siwrnai ola'.

Mae'r dref yn dawel, sgerbwd yw'r welydd,
heb sŵn olwynion bysiau'n y lonydd,
simneau moelion fel esgyrn llonydd
a baw a llanast lle bu llawenydd;
un fynwent yw'r palmentydd – geir yno,
llwybrau a'u hwylo lle bu'r heolydd.

Hen dŵr unig saif drannoeth
trwy danau y bomiau'n boeth;
daw rhyw ofn i danio'r dre
ag eglwys yn un gwagle,
a chorau y Suliau sydd
yn oleuni aflonydd;
a llonydd yw'r lle anial,
yn dir hyll o'r pedair wal.

Daeth cytgan i'r llan o'r llwch
a'i hallor o'r tywyllwch,
rhesi'r weddi yn parhau
a'r meini'n gôr emynau,
a chân ddiddiwedd heddiw
drwy loes yr un ffenestr liw;
a chof y dref yn sefyll,
Santes Fair a'r Gair o'r gwyll.

Mae Stryd y Castell bellach – a'i dolur
    yn dal ei chyfrinach;
  lle unig colli llinach,
  amhosib yw ei mis bach.

At un adeilad daw hi'n oedolyn
ac at unigrwydd a rhwyg bob blwyddyn,
mae hi yn oedi ar un munudyn,
yn crio eto wrth gofio'r crwtyn;
a'r orig sydd fel marworyn – hefyd,
yn gwanhau o hyd, i gynnau wedyn.

Bwlch

cofio Roy Davies

Ym Mhen-bre mae un yn brin,
un â'i werthoedd mewn chwerthin;
y Talwrn sy'n tawelu,
heno'i ddweud sy'n neuadd ddu.

Un yn llai yn llonni'n llên
a llai o odlau llawen,
y mae lli ei gerddi'n gur
a'i ddwli yn troi'n ddolur.

Ei ddawn ef ni ddaw yn ôl,
y ddawn i ganu'n ddoniol,
heb Roy a heb yr awen,
un gadair wag ydyw'r wên.

Beddargraff Golffwr

Bu'i belen wen bob un ha' – yn ufudd
    i'w drafod tynera',
  a'i dilyn wedyn a wna
  i waelod ei dwll ola'.

Beddargraff Cybydd

Ymunodd y gymuned – eleni
    fel un yn ei cholled
  a'i gario e'n ôl ei gred
  i Beulah, heb ei waled.

Blwch

Neithiwr, yn dri bu'r doethion – ar y we
    yn y rhuthr am roddion,
  a gweled yr argoelion
  am y sêl yn Amazon.

Taith

injan stêm o Flaenafon ar ddarn o reilffordd ar faes yr Eisteddfod yng Nglyn Ebwy

Daw trên olaf Blaenafon
ar y lein yn yr Ŵyl hon,
a hen ddyn ar lain y ddôl
a'i wyneb o'r gorffennol;
a thrwy'r stŵr daw'r gŵr â'i gân,
gŵr â'i ha' ar y graean,
a hwn wêl o'i injan o
hen fetel a'i lif eto.

Yn yr ager mor agos
ei ddoe ddaw'n ôl ddydd a nos,
twr y cof yw'r traciau hyn
a'i fyd yw'r cofio wedyn;
seiren fud yw'r siwrnai fer
yn hollti draw'n y pellter,
a haenau'r diwydiannu
yn yr ardd a'r ddaear ddu.

Wrth y llyw, daw nerth a lli'r
harn yn nes o'r ffwrneisi,
heibio i lwyd y strydoedd blêr
a'r ifanc oriau ofer,
i rawiau'r hen ddechreuad
a cheibiau'r briwiau a'r brad.
Bro unwyd gan beirianneg
a ddarniwyd, rhannwyd â rheg.

Ond hyder ein treftadaeth
yw y gŵr ar ddwy lein gaeth,
daw ergyd y funud fach
a'i hisian yn agosach.
Daw yn ôl i fynd â ni
am ennyd i'r tomenni
yn Ebwy'r Ŵyl, i barhau'r
ailadrodd ar y cledrau.

Ffilm

wrth weld negatifau o luniau a dynnwyd gan fy nhad o gapel
Blaenrheidol, Nant-y-moch, cyn ei foddi yn 1961

Gwelaf, lan yn y golau,
resi'n cwrdd a drws yn cau,
Blaenrheidol y dôn ola',
welydd y ffydd a'r sol-ffa.

Y mae cam ymhob fframyn
seliwloid o'r Suliau hyn,
ac yn y dŵr gwyn a du
eu horiau sy'n diferu.

Ond fy nhad yn siarad sydd
â'i law yno'n aflonydd
yn oedfa Kodak y cof,
a'r haenau yn hir ynof.

T. Llew

Ysgol T. Llew Jones, Brynhoffnant

Ma 'na drysor tu mewn i'w drysau;
yn fyw ar welydd mae cyfrolau
a newydd-deb yr hen wynebau'n
dod i aros ar goridorau.

A Phlas y Wernen sydd eleni'n
curo eilwaith ar y cwareli,
a'r un T. Llew nad yw'n distewi,
y dweud o raid, yn llawn direidi.

Fe ddaw'r lladron 'nôl ar y tonnau
a nesáu'n gân wna sŵn y gynnau,
ac y mae rhwyd ei gymeriadau'n
un adeilad llawn sŵn pedolau.

Ac fe ddaw llais y llygaid gleision
i rannu oes yr hen hanesion
am y chwarae, yr hwyl a'r straeon,
yno i edrych ar gamp môr-ladron.

A daw yr haf a Chwm Alltcafan,
a'i wên heddiw, ac mewn ymddiddan
heibio'r waliau, fe glywn y brolian
a llawenydd T. Llew ei hunan.

Gwefr

wrth ymweld â Brynglas a gweld pedair conwydden ar safle
buddugoliaeth Owain Glyndŵr yn 1402

Mi wn, wrth gamu yno,
hen frwydr sydd ar lethrau'r fro,
fan hyn y clywn lafnau cledd
hil hŷn na chwe chan mlynedd;
coed y co' wedi eu cau
yn bedair i'r sgerbydau.

Hen ŵr ddaw gyda'i wyres,
dod yn hŷn a'i ddweud yn nes,
a'i cherdded diniwed hi
yn aros gyda'i stori;
ac wrth adel fe welwn
ei pharhad trwy'r cyffro hwn.

Marchnad

fan ddosbarthu nwyddau'r archfarchnad i gwsmeriaid ar y we

Diwyneb yw'r archebion
ddaw o'r siop trwy ddrysau hon,
anhysbys yw'r bocsys bwyd
ar olwyn at ryw aelwyd.

Ei murmur sy'n prysuro
tua'r hwyr a rownd pob tro,
a'i nwyddau hi yn ddi-os
yw'r logo ar hewl agos.

Ar y we mae gwario is,
diddiwedd byd o ddewis,
eto mae'r silff yn dlotach
i gwsmer y fenter fach.

Eirlysiau

Daw'r rhain 'run mor daer o hyd – i wylio
    dros yr hewlydd rhewllyd,
  bob blwyddyn yr un ffunud
  yn eu lifrai gwynna' i gyd.

Cegin

hen wraig ar ymyl y ffordd yn Delhi, India

Heddiw, i'r blawd mae'n rhoddi – ei bore
    a burum ei thlodi,
  ac ym mhowlen trueni
  mae'n tylino'i heno hi.

Cadwraeth

bag siopa amlddefnydd

Ei dwy law sy'n dal o hyd – â'i bysedd
    dan bwysau ei bywyd,
  ei chyfan sy'n faich hefyd,
  cario'r bag a charco'r byd.

Dŵr

wrth ymweld â man bedyddio'r Iesu yn yr Iorddonen, ar y ffin
gythryblus ag Israel

Do, bu Ef fan hyn hefyd
a daw'r awr o'r dŵr o hyd,
a byw yw'r ffos lle bu'r ffydd,
hen bwdel lle bu bedydd.

Ond o'r rhyd daeth ffrwd yr ha'
a thonnau gwyn Bethania,
yn troi'r llif dros y tir llwm
i lanw dau fileniwm.

Mae'r anwedd fel môr ynom
nes i lais sibrwd *shalom*,
a gweled crychau'r credo
yn y don, lle bu Ef, do.

Stori Feiblaidd

Yn ei bader a'i gweryl
un ris oer yw bore Sul;
addolwyr a siopwyr sy'
at ei eiriau yn tyrru,
ond heibio i lôn ffrwt ei ble
a'i boerad ganol bore,
a'u tref heb weled rhywfodd
ei gan gwag yno'n gwahodd;
yn rhu'r llif aeth hwn a'r llall
i lawr yr heol arall.
Aros o raid wna'r sarhad,
aros am un Samariad.

Dial

cofeb yng Nghasnewydd sy'n coffáu saethu 22 o Siartwyr gan filwyr Prydain yn 1839

Mae cyflafan ein hanes
yn parhau mewn cerflun pres,
a'r grym ymhob ystum bach
yw wyneb hawliau'n llinach
ar bob lôn, a chlywir bloedd
anniddig y blynyddoedd.

Er hyned y bwledi,
ein talu'n ôl tawel ni
ydyw'r waedd sydd ar y stryd
yn fyddin mewn celfyddyd.
Mae llechen a rhestr enwau
maith y cof yn methu cau.

Colli

Y Bala 2033

Wedi'r daith, drwy'r wlad o'r de,
dod ar ras; oes gan y dre
olion fy iaith yn rhywle?

At un af drwy'r siarad hyll,
draw i'r tai ar stryd dywyll
a'r gwarchae'n un rhwyg erchyll.

Cyrhaeddaf ei hystafell,
a'i chael rhwng muriau ei chell.
Mae ei hiaith i mi ymhell.

Yn Nhachwedd ei gorweddian,
amau wyf, a ga' i'n y man
y Gymraeg ym mro'r wreigan?

Mae oerfel rhwng y welydd,
mur fy iaith yw Cymru Fydd
a'r gaeaf yn dragywydd.

O'r düwch, daw o'r diwedd
un geiryn fan hyn drwy'r hedd,
gair unig a'r gwirionedd.

Drwy rewynt ei chystrawen
geiriau'r llais sy'n agor llen,
iaith araf bob llythyren.

O'i hwyneb di-wên unwaith . . .
'. . . yw fy Mugail' glywn eilwaith
a'i hanadlu yn dadlaith.

Hanner gair, yna'r geiryn
yn dod fel adnod fan hyn,
a'i hadnodau'n dôn wedyn.

Brawddegau o'r Salmau sydd
yn awen ar obennydd,
yn rhoi i ni ddoe o'r newydd.

O aberth isymwybod,
iaith hafau yw ei thafod
a sŵn balch Cymraes yn bod.

Mae geiriau ei magwraeth
arni'n wên, ond troi a wnaeth
o'r eiliad i'w marwolaeth.

Ynof mae'r Salm yn gofeb
a'r heniaith ar ei hwyneb,
a honno'n iaith na ŵyr neb.

Enciliaf o'r tor-calon
a'r gair olaf mor greulon.
Colli iaith yw colli hon.

Hanner Amser

'Half-time' – un o ganeuon Amy Winehouse a fu farw yn 27
mlwydd oed

Mae Camden heb gân heno
ac alaw hon sydd dan glo,
blues a *jazz* y dinasoedd
yn llwm mewn ystafell oedd;
o'r *Back to Black* i'w haf blêr
a'r unawd ar ei hanner.

Hi'r gwallt a'r nodyn unig,
wyneb yr hwyr ar y brig,
rhifau un ei gyrfa hi
yn dianc, a distewi'n
hwyl y bît, ar ganol bar,
a'r ugeiniau'n rhy gynnar.

Swyddfa

iPhone

Mae gair a llais yma gerllaw'n – ddi-oed
    yn ddesg ar ddeheulaw,
  yn estyn ffeiliau'n ddistaw
  a minnau'n llwyr mewn un llaw.

Awyr Las

*ailgladdwyd gweddillion sgerbwd merch ifanc ar ddiwedd
cloddio archaeolegol ar Draeth Mawr, Tyddewi*

Lle bu rhedeg a hel cregyn – un haf
    daeth canrifoedd plentyn
  i'r adwy a'u rhoi wedyn
  eto'n ôl i'r twyni hyn.

Clais

cam-drin pêl-droediwr yn ifanc

A hi'n nos, y plant ni wêl – eto'r un
    sy'n troi yn y dirgel,
  un agos anniogel
  yn dwgyd bywyd a'r bêl.

Draw Dros y Don

Ei gorwel yw'r cwareli,
heibio'r llen, ei bro yw'r lli,
ac i un daw'r llanw gwell
â'i hafau i'w hystafell;
i hon pob un don sy'n dwyn
yr haul i'w chadair olwyn.

Iwerydd yw ei rhyddhad
o fore'r hen arferiad,
mennu dim wna'r mynd a dod,
wal unig na'r gwylanod;
o'i rhigol gwêl y cregyn
a hi'n iau na'i hoed fan hyn.

A dihengyd i'w hangor
y mae hon o'i Min-y-môr,
ar wâc hir fan draw drwy'r cae
â'i chwiorydd i chwarae'n
haf o lais, ac ni wna'r floedd
heneiddio â'i blynyddoedd.

Ac mae'r groten yn gwenu,
am ei gweld y mae Mam-gu,
camau oes ddaw drwy'r broc môr
at ei hymyl bob tymor,
i'r waliau oer 'nôl o'r lan
i'w haduniad â'i hunan.

Lliw

Os aur yw golau'r seren – yn treiddio
    trwy addurn y goeden,
  byw hen wyrth baban â'i wên
  yw lliw Nadolig Llawen.

Nadolig

ar adeg agor archfarchnad fawr newydd yng Nghaerfyrddin

Eto mae'r dref yn dlotach – a thrwy'r Ŵyl
    ei throli'n agosach
  gan wfftian y baban bach
  eleni yn greulonach.

Wedi'r Ŵyl

Ni welir yr angylion – yn y dref,
    wedi'r Ŵyl, na'r doethion,
  am hen seren, nid oes sôn,
  na'r geni mewn bargeinion.

Llwybrau

ymweliad ag Efrog Newydd a Boston yn 2001

Llwybr

Awyren dros Iwerydd,
yn llinyn o wlân llonydd
ar un ras i dorri'n rhydd ...

yn uchel trwy'r awelon,
yna fe welaf olion
ei hanadl oer hyd y lôn

yn hyrddio tua'r wawrddydd,
un llinyn yn dilyn dydd
a nwyon bore newydd.

Llinyn o droell hynod
a holl ing Boeing ein bod
ddaw ataf wedi'i ddatod,

yna'i linyn ddiflannodd.

*

Tremont Street

crwydryn yn hel cardod yn Boston

Hei, ddyn! mewn gwledd o hanes,
fan hyn! tyrd ataf yn nes.
Mae rhywbeth am dy frethyn
a ddwed nad wyt o'r ffordd hyn;
yn amlwg, wyt o'r famwlad
â'th Sais o lais o'r hen wlad;
yn ein tro ry'n ni 'run tras,
yn ddienw'n y ddinas.

Wyt lydan, wyt oludog
yn y glaw o dan dy glog,
wyt un balch, wyt un o bell
ac yma rwy'n dy gymell;
gyfaill, a ga' i ofyn
yn eger am ddoler, ddyn,
neu rho er lles ffrind i'r llwyth
hanner doler i dylwyth.
Beth yw gwerth dau yn perthyn
os dyled yw waled un?

Yn deyrngar rwyf yn aros,
truan wyf, fu'n oer trwy'r nos,
yn aros oriau'r bore
i yfed dysgled o de;
tyrd! rho i'r un cyd-ddyn caeth
ei baned annibyniaeth.

I mi bydd dy newid mân
yn Iwerydd llawn arian,
a'r aberth fechan werthfawr
i'r perchen fydd fargen fawr,
a rhoi siâr i ŵr sy' waeth,
rhoi doler i frawdoliaeth.

*

Llwybr Rhyddid

Freedom Trail – llwybr a llinell goch sy'n cysylltu'r llefydd
hanesyddol yn Boston

Lein â'i wae yw'r lôn o hyd
o'r bae ar hyd llwybr bywyd,
ei thwf a'i hiraeth hefyd.

Rhes o goch sy'n hollti'r sgwâr,
y llwch a'r golau llachar
a ffydd hewlydd yn alar.

Lôn balchder y pedwerydd
sy' darmac ddoe a'i stormydd
a lôn yr awelon rhydd.

Daw aberth a hen werthoedd,
rhwyg y wawr a'i liw ar goedd
i waedu ar y strydoedd.

Lôn wlatgar yw lôn chwarae
dilyn tras hyd olion traed,
a'r lôn wâr eleni'n waed.

*

Central Park

*gardd goffa 'Strawberry Fields' a chofeb 'Imagine' John Lennon
yn Efrog Newydd*

Ymhell o ormes y byw dinesig
trwy goedlan lydan yr anweledig,
awn i feysydd lle mae'i fiwsig – llawen
yn bwrw ei wên ar y llwybr unig.

Y sgwaryn lle mae'i fiwsig a'i eiriau'n
yr un cyweirnod â lliwiau'r blodau,
yn y gweirdir, ei gordiau – sy'n agos,
yma i aros yng nghân y tymhorau.

Ni ddaw'r un gytgan, na'r un cyfanwaith
na neb i orffen harmoni'n berffaith,
ei alaw, ni ddaw eilwaith, – wedi'i ddwyn,
ac yno'n wanwyn o ganu unwaith.

Roedd blerwch a harddwch ynddo'n cwrddyd,
ei ddoe a'i heddiw yn goddiweddyd,
mae mania ei bob munud – heb orffen,
a saif 'i awen, yn hanes ei fywyd.

Un fu'n rhoi gwerth ar fyd a'i brydferthwch,
llenwi neuaddau a chael llonyddwch,
ei grefydd a'i ddigrifwch – yw'n hatgo,
a dyn yn herio gyda'i dynerwch.

Yn ein hunllef, daw ei ganu unllais
i bob anadliad â'r boen yn adlais,
yn dawel, gweld uchelgais, – a'i dynged,
yn byw ei faled ei hun heb falais.

Gweld yr un ddalen a wna'r darllenydd
a murmur ei llên drwy'r marmor llonydd,
yno'n ceulo'n cywilydd – yn un gri,
ei harf eleni yw'r gair aflonydd.

*

Ar y Trên

Y mae dau'n mynd am y dydd – i Salem
    a'i Sul yn ddig'wilydd,
    eu tynged a red yn rhydd
    yn galw ar ei gilydd ...

dau yn cymell a chellwair – a rhoi winc
    yn rhan o'r un cywair,
    yna gwên, heb dorri gair,
    hen awydd yn cyniwair.

Ac olwynion rhagluniaeth – ar y trac
     yw'r trên trwy'u bodolaeth,
  ond olwyn trên dilyn traeth
  yw'r olwyn heb reolaeth.

*

Canal Street

Chinatown, Blwyddyn y Neidr

Hewl o liw â naws y wlad – ydyw hon
     a daw seiniau'r cread
  i oedi 'mhob symudiad.

Ond Beijing sy'n ping-pongio – tua'r wawr
     trwy oriau'r coluro
  yn dinsel coch y dawnsio.

Un neidr sydd yn rhaeadru'n – rhes o draed
     i lawr stryd y dathlu
  yn ferw tan yfory.

Yn y gwyll y mae'n gwahodd – y ddinas
     oedd heno ar ddiffodd,
  a'i neidr ynom a ffrwydrodd.

*

Etifeddiaeth

wrth ymadael ag Efrog Newydd

Mae llên mewn albwm lluniau
a gair trwy'r holl liw yn gwau.
Ond dalen y wên sy'n wae
a chwerwedd, lle bu chwarae,
a daw haul a chwerthin dau
yn Fedi a'i ofidiau;
awyren ac un arall –
deigryn ar naill lun a'r llall.
Mae aberth lle bu chwerthin –
oes o gred yn chwalu'r sgrin
ac mae'r bedd a'i lwch heddiw
yn llwyd ar y lluniau lliw.
Llai na mis, i'r lluniau mud
daw'r haf a'r hydre' hefyd
a dolur yr adeilad
yw'r bore hir a'i barhad.

Ynof o hyd mae'r gofid,
yn y llun mae'r boen a'r llid
a galar ymhob siarad,
un mis gwag a maes y gad.
Oer yw'r waedd sydd nawr ar ôl –
y waedd sydd imi'n waddol,
a darlun pob llun o'r lle
yn mynnu rhan o'm meinwe,
a'i liw yn gadael ei ôl
yn gadarn o ddigidol.
Y boen sydd ym mhen draw'r byd
yw 'mhoenau i bob munud,
yn dawel yn oriel nos,
am hir, daw'r ffilm i aros
yn y chwys, gwelaf a chael
nad yw'n Medi'n ymadael.

Ymryson Cŵn Defaid

Fe ddaw pob un yr un ffunud – i droi
　　drwy'r iet a chydsymud
　　i ddeall y ddau ddiwyd;
　　un dyn a'i gi, dyna i gyd.

Albwm Lluniau

Ei deulu ar bob dalen, – a'i linach
　　wedi'i glynu'n gymen,
　　ac yna, lliw hen gynnen
　　a wêl rhai tu ôl i'r wên.

Ysgol

I hwn ni ddaw'r un swnyn – o'r waliau,
　　na'r hwyl, na llais plentyn . . .
　　Er y taw, mae'r ietiau hyn
　　ar agor yng ngho'r hogyn.

Agoriad Llygad

arddangosfa o bedair cyfrol hynafol yn Llyfrgell
Genedlaethol Cymru

Mae ein cyfan, mae'n hanes – yn y gair
   dan y gwydr a'i lloches;
  mae ein cof yma'n y cês.

Ar agor y mae'r cloriau – yn eu sêl
   a nesáu mae lleisiau;
  mae'r heniaith ar femrynau.

Fe ddaeth gwên y gorffennol – a harddwch
   y cerddi bob cyfrol
  a'r drin oer adre yn ôl.

A'r hafau mewn ysgrifen – ac inni
   y gân yn ddiorffen,
  ein dyled bob tudalen.

Mor gymen fu'r ysgrifennu – yn rhydd
   ar groen sy'n melynu;
  yfory'r dweud yw'r Llyfr Du.

Heddiw y mae cyffro trwyddynt – eilwaith
   yn y golau arnynt,
  geiriau ddoe, ein gwreiddiau ŷnt.

Deilen

Gwelaf y staen a haenau'r Hydre' oer
　　wedi'r haul fu gynnau,
　　ag un haf ynddi'n gwanhau
　　un ha'n llai sy'n ei lliwiau.

Hoelen

ar ddrws cegin Tad-cu

Ddoe ei fyd a'i ddefodau – oedd arni
　　a'i ddiwrnod dan gotiau,
　　ei chwiban cân ar ddrws cau
　　a bachyn hongian beichiau.

Angladd Mam Ifanc

Er fod 'na ardd a'i harddwch – yn y dorch,
　　a dawns ei thynerwch,
　　heddiw y mae'r lliw a'r llwch
　　yn ddiddiwedd ei ddüwch.

Cywilydd

dilyniant o gerddi wedi ymweliad ag Auschwitz

Ar y Lôn

Un cwmwl sydd yn cymell
ein cerbyd a'r byd o bell,
i uno mewn un llinell

ar siwrnai â thrais arni,
trwy ofid hen bentrefi
yn nes at ein hanes ni.

Oeri wna'r holl fân siarad,
oedi wna pob symudiad
i lawr lôn dawela'r wlad.

*

Y Glwyd

Hen ffin a hen gasineb
a'i eiriau'n uwch dros dir neb;
dweud eu hofn dros hewl y daith,
a'i hewlydd heb un eilwaith.

Mae holl eiriau'r darnau dur
yn estyn yn ddidostur,
geiriau'r boen sy'n agor bedd
a'i ddôr at y gynddaredd.

Celwydd nad ydyw'n celu
arno'n dew yw'r haearn du,
a'i eiriau sy'n anwiredd
oerllyd rhwng bywyd a bedd.

*

Man Ymgynnull

Cyrraedd i aros, lle bu'r cerddorion
yn chwarae'r oriau i'r carcharorion,
y streipiau'n dilyn mewn rhesi union
i'r caeau newydd a chur caneuon;
ond trwy'r baw ac alawon – y trwmped,
yno i'w clywed mae sŵn y cloeon.

*

Un Wyneb o'r Wynebau

Un wyneb yn ein hanes, – hi yw llun
ei holl hil dan ormes,
a'i phoenau'n rhifau mewn rhes.

Un rhif ar streipen ddienw – yn rhad
　　a'r edau'n ei gadw,
　a'i gywilydd yn galw.

A di-wên yw hon bob dydd – yn rhythu'n
　　y brethyn a'i gelwydd,
　a'i hofnau'n rhif ar ddefnydd.

Pedwar dau, tri pedwar deg – sy' arni;
　　sarnwyd yr eneteg
　a'i naddu mewn rhifyddeg.

　　　　　*

Y Trac

Ar y lein, daw'r olwynion
'nôl o hyd ar harn y lôn,
trên ar rigol y dolur
a'r traciau'n cau am y cur;
y leiniau hir na wêl neb,
dwy linell eu diawlineb.
Y mae dial a malais
y dur oer yno a'i drais,
ac ôl diafol ymhob darn,
a'i ruo ar yr haearn.

117

Y mae mil o leisiau mân
a hen gri ar y graean,
a'i oleddf lle bu'r miliwn
ac ofn gwarth cyfarth y cŵn;
un bore rhad heb 'run brys
ar y seidin arswydus.
Dan orchymyn bob munud,
aros mae'r holl resi mud
yn eu llwyd, ac yno'n llu
yn uno'n y gwahanu;
a'r wialen ddaw o rywle'n
arwydd oer, i'r chwith neu'r dde.

Yna dod at ben draw'r daith,
dod yno ddim ond unwaith,
a'r funud mor derfynol,
un trên hir nad yw'n troi 'nôl.

*

Clos y Saethu

Daethom at y glwyd eithaf
a throi i weld, trwy ruthr yr haf,
farwolaeth a'i fur olaf.

Anelu am un eiliad;
y wal frics a'r lifrai rhad
yw hiliaeth y croeshoeliad.

Mae baner lle bu chwerwi
a dryll, mae croesau di-ri:
blodau lle bu bwledi.

Y cyfan ar un cyfer,
troi bywyd yn funud fer.

*

Un Bachgen Bach

A draw'n y coed mae crwtyn yn oedi,
yn ei streipen, â gwên ei ddrygioni,
a hwn sy' rhywsut yn croesi'r rhesi
yn hastu i aros i ddweud ei stori,
hwn â'i anel drwy'r pwdeli – o reg,
yn daer i redeg yn llawn direidi.

Â'n ôl trwy'r bonion i'r geto llonydd
a mwy o antur ar hen balmentydd,
yn llawenhau gyda'i gyfaill newydd
a baw y chwarae, heb ei chwiorydd;
yn yr haul, ail-fyw'r hewlydd, – a hynny'n
dal ei yfory'n Awst ei leferydd.

*

Teulu

Llawenydd sydd yn y lluniau – o hyd,
    gan gadw eiliadau
y baban a'i deganau,
Taid a Nain a'r tedi'n iau.

Mae rhagor yn yr oriel, – eu talent
    a'u teulu'n ddiogel
a di-nam, ond un a wêl
rai rhy ifanc i ryfel.

Yna gweld mewn gardd heb gŵyn – y bychan
    yn bachu ei wanwyn,
ag un llaw ar egin llwyn
yn gwenu, cyn y gwenwyn.

Oriau cyn dyfod hiraeth, – wynebau
    a gobaith cenhedlaeth
yn troi o'r haul ar y traeth,
o'u rhyddid, i'w llofruddiaeth.

*

Y Siambr Nwy

Wrth gamu i mewn i'r düwch,
ar holl ddagrau'r lloriau llwch
rhyw oerfel sy'n dychwelyd,
ddoe a'i wast ynddo o hyd.

Mae gwagle y lle yn llawn
a'r erlid yn siambr orlawn.
Waliau o waed ganol haf
a waliau'r un waedd olaf.

Mae angau'r fflamau'n un fflyd
yn arllwys o'r corn oerllyd,
a'i borffor di-dor yn dod
i esgyn yn un cysgod
am y cof, a daw'r mwg hyll
i dywallt eto'n dywyll;
y tŵr sy' uwch na'r trais hwn,
a chymylau'r chwe miliwn.

*

Gadael

Dod at domen o frics a thrueni
yn y llwch, a blerwch hen bileri,
yn un gromlech o goncrit a llechi
yno'n waddol i'r haenau o weddi,
a'i doreth o ddidosturi'n – dod 'nôl
ag uffern oesol mwg y ffwrneisi.

Mae meini newydd yn lle'r simneiau,
yn chwalu hiliaeth trwy ddymchwel waliau,
a geiriau'r gofeb lle bu'r wynebau
yn dod i ennyn yr un cwestiynau
ynom, tra byddwn ninnau – â'r awydd
i gamu lonydd gwag y miliynau.

Dur

Mae ei thincian amdanaf – a'r rhedeg
    i'r rhyd am y cyntaf,
  ond eilwaith hen glwyd welaf
  a'i haen rhwd ar harn yr haf.

Potel Blastig

Unwaith i'r llanw cynnes – mi roddais
    fy mreuddwyd a'm cyffes,
  ni ddaw 'nôl; ond heddiw'n nes
  yr un wag ddaeth â'r neges.

Y Dref Wen

Mi welaf hen ddail melyn – hydre'r iaith
    yn y dref a'r dyffryn,
  fy nhynged yw troi wedyn
  niwl o'r fro yn haul ar fryn.

Yr Ardd Fotaneg Genedlaethol

Mae coedwig o blanhigion
yno'n drefn o dan wydr hon,
erw'r ffridd yn un â'r ffrâm
a'i awyrgylch yn wargam,
ac ecoleg sawl pegwn
a'i acer werdd dan do crwn.

Mae rhyfeddod pob blodyn
i'w fwynhau yn y fan hyn,
petalau a'u lliwiau'n llu
a border mewn labordy'n
rhoi parhad i'r blagur prin
a'r hadau anghyffredin.

Atyniad yw'r botaneg
rhwng welydd y tywydd teg,
ei blodau mewn golau gwyn
a siew yw pob llysieuyn;
rhyw gae a'i haf sy' ar goedd
a'i fwa i'r tyrfaoedd.

A thu allan i'r panel,
yno yn uwch, un a wêl
ein daear yn blodeuo
yn y twf, trwy wydr y to.
Daw pob perth a'i phrydferthwch
yno draw trwy'r glwyd yn drwch,
gwyrdd y coed i'r gerddi cau,
bioleg heb y waliau.

Y Frwydr

hanner can mlynedd ers i drigolion Llangyndeyrn ennill y frwydr a gwrthwynebu'r cynlluniau i foddi Cwm Gwendraeth Fach yn Hydref 1963

Hanner canrif sy'n llifo
o'r Hydref ers y brwydro,
a daw rhyw ofn yn ei dro.

Trwy'r un iet fe ddaw eto
hen diroedd a'r gwrthdaro,
dŵr y Cwm sy'n dod i'r co'.

Ymrafael am yr afon,
ddoe o hyd sy'n nyfroedd hon
i'w clywed yn y cloeon.

Aros y mae emosiwn
y rhes hir, yna o'r sŵn
un tylwyth ddaw'n fataliwn.

Mae nod yn y munudyn,
galar yn siartiau'r gelyn
a dau gae mewn du a gwyn.

Byddin sy'n herio dinas,
am unwaith, a'i chymwynas
yw gwylio iaith y tir glas.

Daear sydd yn eu siarad,
yn ufudd yn eu safiad
am mai sgwrs oedd maes y gad.

Ac o'r cefn daw'r gwŷr o'r cae
i gyfarch, ac mae'r gwarchae'n
rhoi ergyd i greu'r argae.

A daeth haf o'r gyflafan,
y llidiart a'r bwlch llydan,
i roi'r llais yn ôl i'r llan.

Ein caerau yw'r aceri,
yn dynnach mae'r cadwyni
am mai hon yw'n hafon ni.

Dychwelyd

milwyr terracota, Xian, China

Daw i'w res wedi'i drwsio
o'r hen glai oedd arno'n glo;
fe ddaw'n ôl i'w fyddin wâr
ac eilwaith at y galar,
yn ddewr ei bridd ar barêd
ac urddas yn ei gerdded,
yn y byw tu hwnt i'r bedd
ar ryw ddaear ddiddiwedd,
a'i enw ar ei wyneb.
Ond yr un haen sy'n dir neb,
a'r darfod oer diderfyn
yw'r hafn hir a geir fan hyn.

Crefft

*cadair Eisteddfod Llandyfaelog a grëwyd trwy gydweithio
ffyddloniaid tafarn Y Llew Coch*

Mae haenau eu cymuned
yn ei graen yn asio'n gred;
un yw'r plwyf trwy'r gŷn a'r plân,
un ydyw ar bren llydan.

Trwy'r haf bu dwylo'r dafarn
yno'n dal ymhob un darn,
a Maelog i'r ymylon
yw oriau chwys breichiau hon.

O'r newydd, daw'r saernïaeth
ar 'styllen y goeden gaeth,
i uno'r ŵyl a lleisiau'r iaith,
o fonyn yn gyfanwaith.

Afon

er cof am Dai Rees Davies

Hawen lle bu llawenydd
a dyddiau'n rhaeadrau rhydd;
lle unig yw'r dŵr llonydd.

Yr afon hon fu'n fwynhad
a'i thonnau'n un chwerthiniad;
archoll pob adlewyrchiad.

Dod ar ruthr bu'r cerddi'n drwch
yn ferw gan ddifyrrwch;
a'r Awstiau heddiw'n dristwch.

Mae'r galar yn fyddarol,
ni ddaw haul na'r odl i'r ddôl,
Dai Rees na gwên Ffostrasol.